D1201553

¡AVISO!
La Ardilla Miedosa insiste en que, antes de leer este libro, todos debemos lavarnos las manos con jabón bactericida.

Para Francine y Hubert

Dirección editorial: Dolors Rius
Edición: Teresa Serra

Título original: Scaredy Squirrel

Quitapesares, 31, local 16 Polígono Villapark
28670 Villaviciosa de Odón (Madrid)
www.almadrabaeditorial.com

Impreso el mes de febrero de 2010

ISBN: 978-84-9270-245-9
Depósito legal: B-4.408-2010
Impresión: Tu Grupo Gráfico 2005
Printed in Spain

La Ardilla Miedosa

Mélanie Watt

La Ardilla Miedosa nunca
se aleja de su roble.

lo
desconocido

Prefiere quedarse en su árbol, que es un lugar seguro y familiar, a correr el riesgo de adentrarse en lo desconocido. Y es que para una ardilla lo desconocido puede ser muy peligroso.

Algunas cosas que la Ardilla Miedosa teme:

las tarántulas

la hiedra venenosa

los marcianos verdes

las abejas asesinas

los gérmenes

los tiburones

Por eso está tan contenta
de quedarse justo donde está.

Ventajas de no abandonar nunca el roble:

- bonito paisaje

- montones de bellotas

- sitio seguro

- no hay

Desventajas de no abandonar nunca el roble:

- siempre el mismo paisaje

- siempre la misma comida

- siempre el mismo sitio

lunes
martes
miércoles

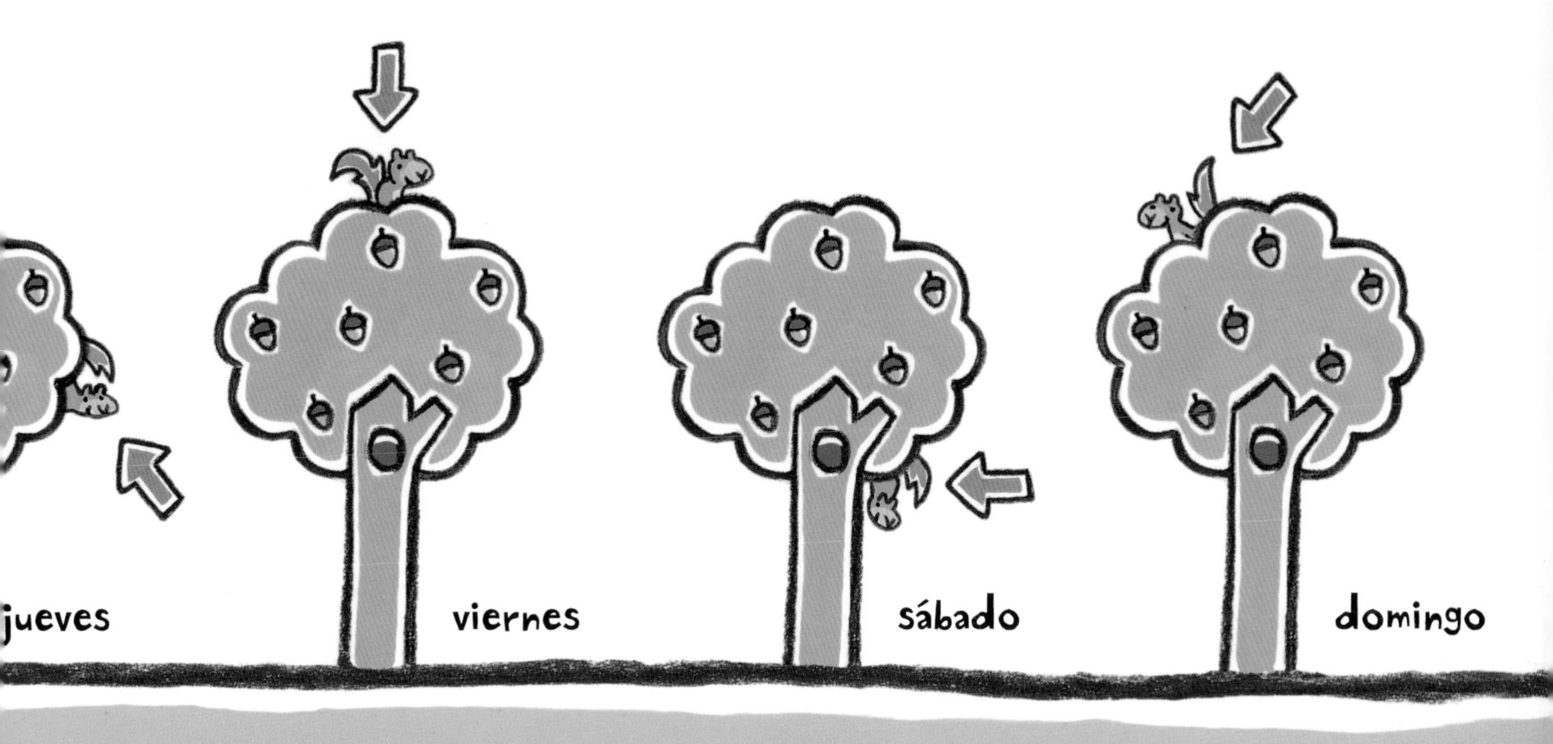

En el roble de la Ardilla Miedosa, todos los días son iguales. Siempre se sabe lo que va a pasar. Todo está bajo control.

Rutina diaria de la Ardilla Miedosa:

Hora	Actividad	
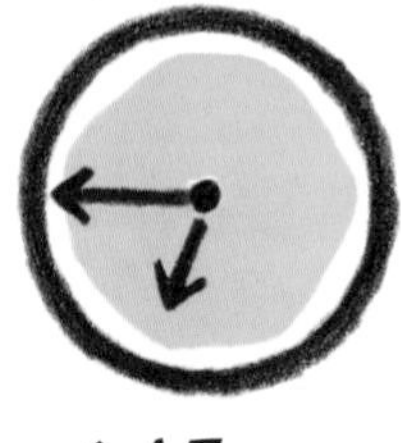 6.45 a. m.	 levantarse	
 7.00 a. m.	comerse una bellota	
 7.15 a. m.	mirar el paisaje	

 12.00 mediodía	comerse una bellota	
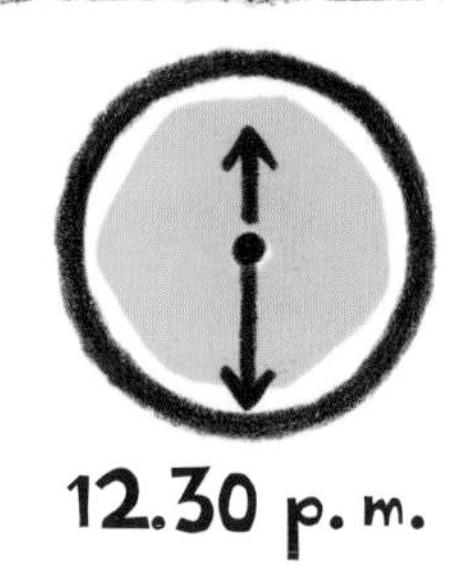 12.30 p. m.	mirar el paisaje	
 5.00 p. m.	comerse una bellota	
 5.31 p. m.	mirar el paisaje	
 8.00 p. m.	irse a dormir	

PERO suponGamos
que **SUCEDE** algo inesperado...

Puedes estar seguro de que esta ardilla
está preparada.

Algunos objetos del equipo de emergencia de la Ardilla Miedosa:

paracaídas

insecticida

mascarilla y guantes de goma

casco

jabón bactericida

loción de calamina

cazamariposas

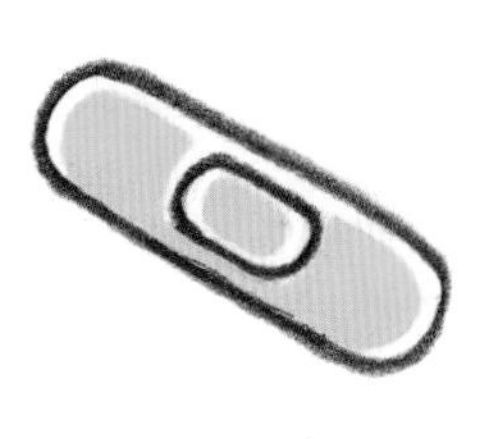

tirita

sardinas

Qué hacer en caso de emergencia según la Ardilla Miedosa:

1.er paso: Morirse de miedo.
2.° paso: Echar a correr.
3.er paso: Coger el equipo de emergencia.
4.° paso: Ponerse el equipo.
5.° paso: Consultar el plan de fuga.
6.° paso: Abandonar el árbol (si verdadera
y definitivamente no queda más remedio).

Plan de fuga *TOP SECRET*

Plan 1

Nota para mí:
En el aire, cuidado con los marcianos verdes y con las abejas asesinas.

Plan 2

Nota para mí:
No te caigas al río. Pero si no lo puedes evitar, utiliza las sardinas para entretener a los tiburones.

Plan 3

Nota para mí:
Ojo con la hiedra venenosa y con las tarántulas que rondan por el suelo.

Plan 4

Nota para mí:
Recuerda que los gérmenes están por todas partes.

No olvides que, si todo esto falla, ¡siempre puedes hacerte la muerta!

Con su equipo de
emergencia a mano,
la Ardilla Miedosa
vigila. Vigila un día,
y otro, y el siguiente,
hasta que un día...

Jueves
9.37 a. m.

¡Aparece una abeja asesina!

Presa del pánico, la Ardilla Miedosa da tal bote que el equipo de emergencia se le escapa de las manos.

¡Esto **NO** formaba parte del plan!

La Ardilla Miedosa se tira del árbol
para recuperar su equipo.
Pero no ha sido una buena idea:
¡el paracaídas está dentro del equipo!

Entonces sucede algo increíble...

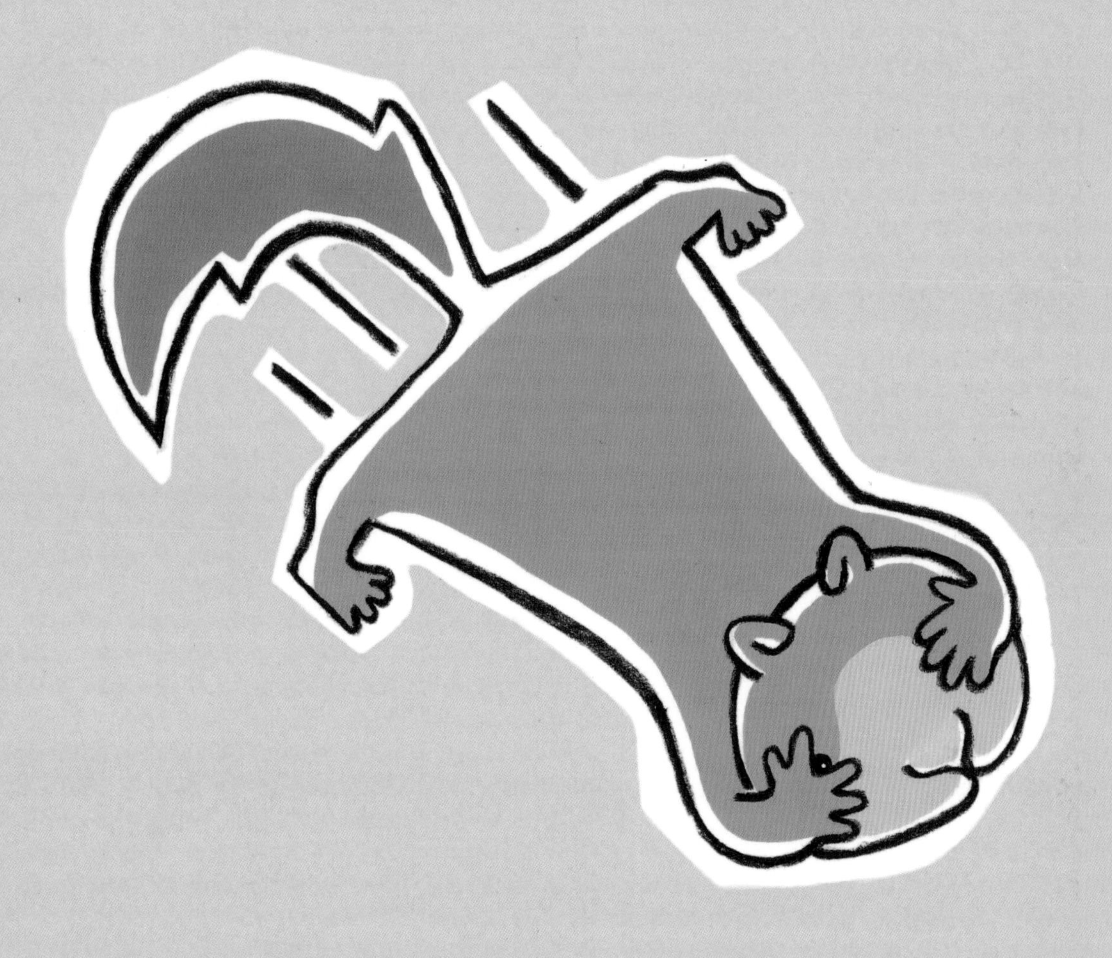

La ardilla Miedosa empieza a planear.

¡Se siente feliz!
¡Intrépida!
La Ardilla Miedosa se olvida
de las abejas, por no hablar
de las tarántulas, la hiedra
venenosa, los marcianos verdes,
los gérmenes y los tiburones.

La Ardilla Miedosa no es una ardilla cualquiera.

¡Es una ardilla **VOLADORA**!

¡Relajada!
puntos
5,7
¡Viva!
Hasta que aterriza
en un arbusto...

Y se hace
la MUERTA.
Al cabo de 30 minutos.
Al cabo de 1 hora...
Al cabo de 2 horas..

Al final, la Ardilla Miedosa se da cuenta de que en lo desconocido no sucede nada terrible. Entonces vuelve a su roble.

Todas estas emociones animan a la Ardilla Miedosa a hacer cambios radicales en su vida...

Rutina diaria (renovada y mejorada) de la Ardilla Miedosa:

 6.45 a. m.	levantarse	
 7.00 a. m.	comerse una bellota	
 7.15 a. m.	mirar el paisaje	
 9.37 a. m.	saltar a lo desconocido	

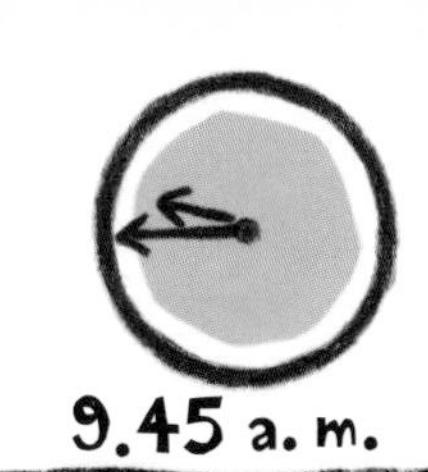 9.45 a. m.	hacerse la muerta	
 11.45 a. m.	volver a casa	
 12.00 mediodía	comerse una bellota	
 12.30 p. m.	mirar el paisaje	
 5.00 p. m.	comerse una bellota	
 5.31 p. m.	mirar el paisaje	
 8.00 p. m.	irse a dormir	

P.S.: En cuanto al equipo de emergencia, de momento la Ardilla Miedosa no tiene prisa por recuperarlo.

FIN